La chanson québécoise en bande dessinée

Ariane Moffatt	Paul Laberge
Cœur de Pirate	Denis Rodier
Les Cowboys Fringants	Valérie Dupras
Loco Locass	Vincent Giard
Malajube	Jimmy Beaulieu
Mara Tremblay	Catherine Lepage
Mes Aïeux	Daniel Shelton
Pierre Lapointe	Pascal Blanchet
Tricot Machine	Pierre Bouchard
Les Trois Accords	Zviane

Une compagnie de Quebecor Media

Chargé de projet: Olivier Benoit
Design graphique: Paul Laberge
Correction: Brigitte Lépine

DISTRIBUTEURS EXCLUSIFS:

Pour le Canada et les États-Unis:
MESSAGERIES ADP*
2315, rue de la Province
Longueuil, Québec J4G 1G4
Téléphone: 450 640-1237
Télécopieur: 450 674-6237
Internet: www.messageries-adp.com
* filiale du Groupe Sogides inc.,
filiale du Groupe Livre Quebecor Media inc.

Pour la France et les autres pays:
INTERFORUM editis
Immeuble Paryseine, 3, Allée de la Seine
94854 Ivry CEDEX
Téléphone: 33 (0) 1 49 59 11 56/91
Télécopieur: 33 (0) 1 49 59 11 33
Service commandes France Métropolitaine
Téléphone: 33 (0) 2 38 32 71 00
Télécopieur: 33 (0) 2 38 32 71 28
Internet: www.interforum.fr
Service commandes Export – DOM-TOM
Télécopieur: 33 (0) 2 38 32 78 86
Internet: www.interforum.fr
Courriel: cdes-export@interforum.fr

Pour la Suisse:
INTERFORUM editis SUISSE
Case postale 69 – CH 1701 Fribourg – Suisse
Téléphone: 41 (0) 26 460 80 60
Télécopieur: 41 (0) 26 460 80 68
Internet: www.interforumsuisse.ch
Courriel: office@interforumsuisse.ch
Distributeur: OLF S.A.
ZI. 3, Corminboeuf
Case postale 1061 – CH 1701 Fribourg – Suisse
Commandes:
Téléphone: 41 (0) 26 467 53 33
Télécopieur: 41 (0) 26 467 54 66
Internet: www.olf.ch
Courriel: information@olf.ch

Pour la Belgique et le Luxembourg:
INTERFORUM BENELUX S.A.
Fond Jean-Pâques, 6
B-1348 Louvain-La-Neuve
Téléphone: 32 (0) 10 42 03 20
Télécopieur: 32 (0) 10 41 20 24
Internet: www.interforum.be
Courriel: info@interforum.be

Suivez les Éditions de l'Homme sur le Web
Consultez notre site Internet et inscrivez-vous à
l'infolettre pour rester informé en tout temps
de nos publications et de nos concours en ligne.
Et croisez aussi vos auteurs préférés et
l'équipe des Éditions de l'Homme sur nos blogues!
www.editions-homme.com

Imprimé en Chine

11-10

Dépôt légal: 2010
Bibliothèque et Archives nationales du Québec

ISBN 978-2-7619-2974-5

Gouvernement du Québec – Programme de crédit d'impôt pour l'édition de livres – Gestion SODEC – www.sodec.gouv.qc.ca

L'Éditeur bénéficie du soutien de la Société de développement des entreprises culturelles du Québec pour son programme d'édition.

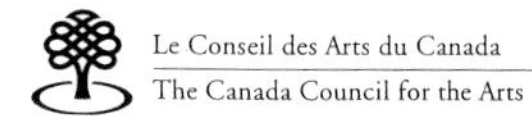

Nous remercions le Conseil des Arts du Canada de l'aide accordée à notre programme de publication.

Nous reconnaissons l'aide financière du gouvernement du Canada par l'entremise du Fonds du livre du Canada pour nos activités d'édition.

Préface

Car c'est dans les chansons qu'on apprend la vie
Y'a dans les chansons beaucoup de leçons
C'est dans les leçons qu'on apprend à lire
Mais c'est dans le lit qu'on vit les chansons d'amour
Et c'est en amour qu'on fait des chansons.

JEAN LAPOINTE

Ce livre est le fruit de plusieurs coïncidences, de ma passion pour la chanson francophone et de mon amour pour l'art.

Le hasard révèle parfois une ambition inattendue. Je me suis par exemple souvent demandé ce qui m'avait poussé vers le monde de la musique. Je n'arrive toujours pas à comprendre mon attirance envers les livres et les arts visuels – ni d'ailleurs pourquoi j'ai étudié le droit à l'université. Mais étonnamment, ce sont tous ces intérêts combinés qui m'ont permis de réaliser cette compilation de bandes dessinées ; c'est de ce confluent qu'est né ce livre, qui marie des chansons qui me tiennent à cœur à des dessinateurs pour lesquels j'ai une admiration sans borne. Un mélange heureux de toutes mes influences a donné le ton et la couleur à ces pages.

Cette aventure m'a permis d'aller vers des illustrateurs de grand talent qui avaient l'imposante tâche de mettre en images les paroles d'une chanson. Le défi était le même pour tous : réaliser cinq planches ayant comme scénario le texte d'un parolier québécois. Ils ont tous joué le jeu avec brio.

Je remercie Pierre Bourdon d'avoir cru en ce projet et de m'avoir donné la liberté nécessaire et les moyens pour le réaliser – les premières personnes à y croire sont toujours celles envers qui il faut être le plus reconnaissant. Plusieurs m'ont ensuite suivi avec enthousiasme dans l'aventure. Je les en remercie.

Je souhaite que cet ouvrage soit pour vous une porte ouverte qui vous permettra de redécouvrir les textes mis en valeur par les interprètes et les musiciens qui marquent aujourd'hui la chanson québécoise. Votre oreille en silence et votre œil allumé vous permettront sans doute d'apprécier autrement des refrains maintes fois entendus.

Je laisse le livre parler de lui-même.

Bonne lecture animée !

Olivier Benoit

ARIANE MOFFATT **Réverbère**

L'avenue me fait marcher, c'est comme ça
Cette nuit, le ciel est mon plancher, trouvez-moi
Je m'y perds, je me gèle à l'eau, à l'eau de là
Ma tête est un bouclier, mais ça m'va

Les ruelles sont mes alliées, je n'ai pas froid
Je n'ai rien à déclarer, je file tout droit
Je fonce vers ma solitude au bout là-bas
J'suis OK, j'ai l'habitude, tu vois

Y'a un réverbère
Tout au fond de moi
Qui éclaire chacun de mes pas
Je suis ici-bas, dans tous mes états
Et c'est très bien comme ça

L'avenue me fait marcher, c'est comme ça
Cette nuit, le ciel est mon plancher, cherchez-moi
Je m'y perds, je me gèle à l'eau, à l'eau de là
Ma vie est une série B, mais ça m'va

Y'a un réverbère
Tout au fond de moi
Qui éclaire chacun de mes pas
Je suis ici-bas, dans tous mes états
Et c'est très bien comme ça

L'avenue me fait marcher, c'est comme ça
Cette nuit, le ciel est mon plancher, trouvez-moi
Je vis dans une bande dessinée, un manga
L'histoire n'est pas terminée, croyez-moi
Ma vie est une série B, mais ça m'va

ARIANE MOFFATT
REVERBÈRE
par PAUL LABERGE

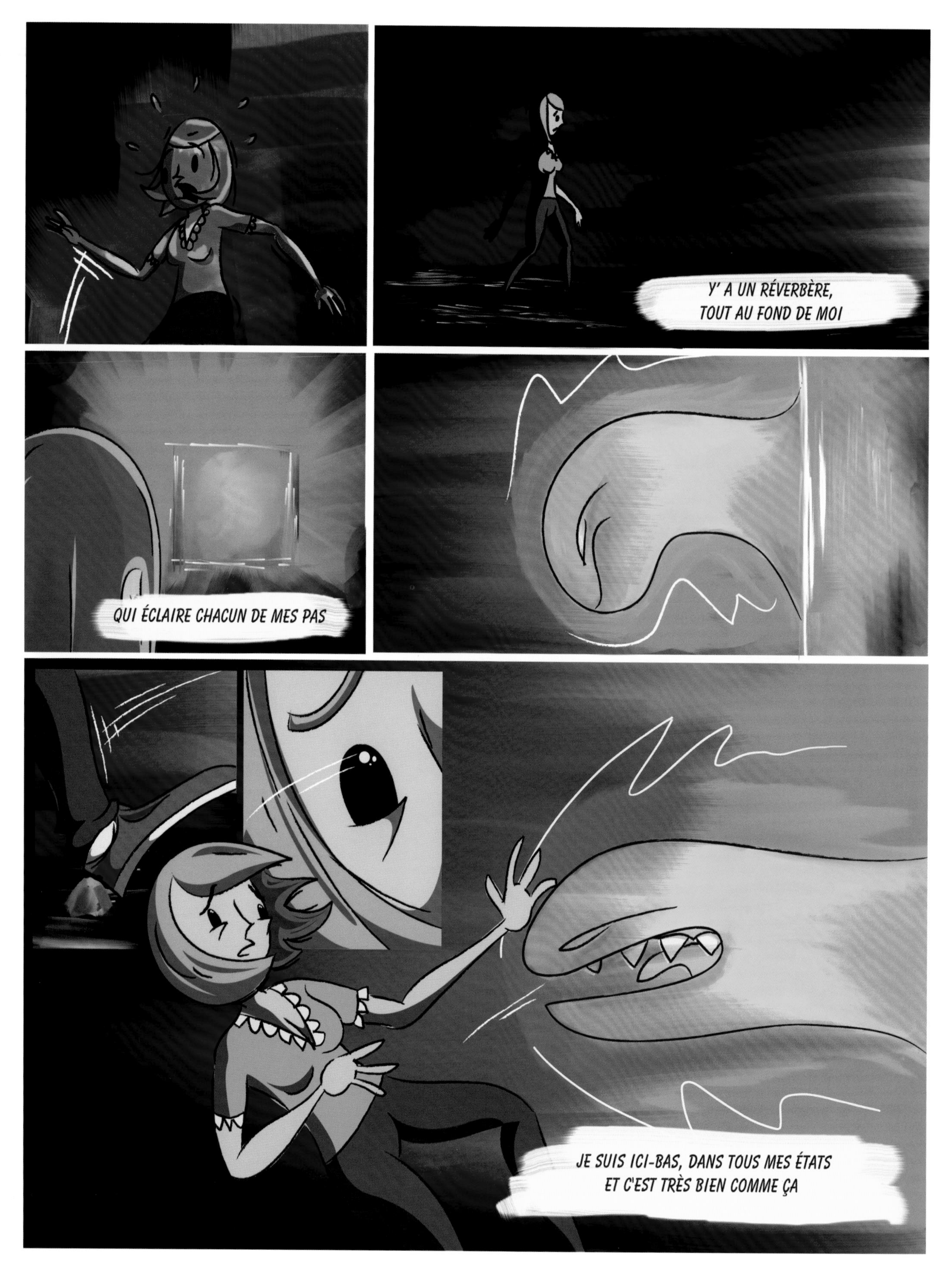
Y' A UN RÉVERBÈRE,
TOUT AU FOND DE MOI
QUI ÉCLAIRE CHACUN DE MES PAS
JE SUIS ICI-BAS, DANS TOUS MES ÉTATS
ET C'EST TRÈS BIEN COMME ÇA

L'AVENUE ME FAIT MARCHER, C'EST COMME ÇA
CETTE NUIT, LE CIEL EST MON PLANCHER, CHERCHEZ-MOI
JE M'Y PERDS, JE ME GÈLE À L'EAU, À L'EAU DE LÀ
MA VIE EST UNE SÉRIE B, MAIS ÇA M'VA
Y' A UN RÉVERBÈRE TOUT AU FOND DE MOI
?
QUI ÉCLAIRE CHACUN DE MES PAS
?

JE SUIS ICI-BAS, DANS TOUS MES ÉTATS
ET C'EST TRÈS BIEN COMME ÇA
L'AVENUE ME FAIT MARCHER,
C'EST COMME ÇA
CETTE NUIT, LE CIEL EST MON
PLANCHER, TROUVEZ-MOI
JE VIS DANS UNE BANDE DESSINÉE, UN MANGA

L'HISTOIRE N'EST PAS TERMINÉE, CROYEZ-MOI
MA VIE EST UNE SÉRIE B, MAIS ÇA M'VA
L'AVENUE ME FAIT MARCHER, C'EST COMME ÇA, CETTE NUIT, LE CIEL EST MON PLANCHER, TROUVEZ-MOI

CŒUR DE PIRATE **C'était salement romantique**

Tu es plus facile à faire qu'à comprendre
Et tombée je n'ai pas pu te prendre
Partie trop loin de toi
J'ai voulu te manquer à tes yeux feindre d'exister

Et au sud de mes peines j'ai volé loin de toi
Pour couvrir mon cœur d'une cire plus noire
Que tous les regards lancés à mon égard
J'ai tenté de voler loin de toi
J'ai tenté de voler loin de toi

Tu fus plus facile à suivre
Dans la ville qui devint notre plus grande fuite
Et moi étendue dans ce lit
Je contemple ce que je t'ai donné de ma vie

Et au sud de mes peines j'ai volé loin de toi
Pour couvrir mon cœur d'une cire plus noire
Que tous les regards lancés à mon égard
J'ai tenté de voler loin de toi
J'ai tenté de voler loin de toi

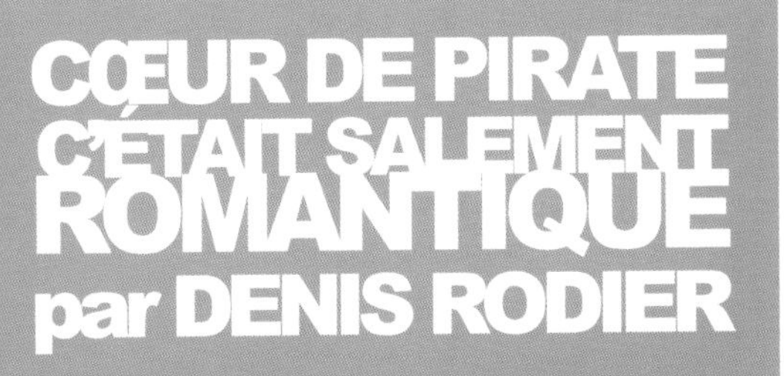

CŒUR DE PIRATE C'ÉTAIT SALEMENT ROMANTIQUE

par DENIS RODIER

Tu es plus
facile à faire
qu'à comprendre
& tombée
je n'ai pas pu
te prendre
Partie trop
loin de toi
J'ai voulu te
manquer à
tes yeux feindre
d'exister

Et au sud
de mes peines
J'ai volé loin de toi
Pour couvrir
mon Cœur
d'une Cire plus
noire
Que tous les regards
lancés à mon égard
J'ai tenté de voler
loin de toi
J'ai tenté de voler
loin de toi

PLY
Tu fus plus facile à Suivre dans la ville qui devint notre plus grande fuite
Et moi étendue dans ce lit Je contemple ce que Je t'ai donné de ma Vie

Et au sud
de mes peines
J'ai Volé
loin
de
toi

J'ai tenté de Voler loin de toi

LES COWBOYS FRINGANTS **Les étoiles filantes**

Si je m'arrête un instant
Pour te parler de ma vie
Juste comme ça tranquillement
Dans un bar rue Saint-Denis

J'te raconterai les souvenirs
Bien gravés dans ma mémoire
De cette époque où vieillir
Était encore bien illusoire

Quand j'agaçais les p'tites filles
Pas loin des balançoires
Et que mon sac de billes
Devenait un vrai trésor

Et ces hivers enneigés
À construire des igloos
Et rentrer les pieds g'lés
Juste à temps pour *Passe-Partout*

Mais au bout du ch'min dis-moi c'qui va rester
De la p'tite école et d'la cour de récré?
Quand les avions en papier ne partent plus au vent
On se dit que l'bon temps passe finalement...

...comme une étoile filante

Si je m'arrête un instant
Pour te parler de la vie
Je constate que bien souvent
On choisit pas mais on subit

Et que les rêves des ti-culs
S'évanouissent ou se refoulent
Dans cette réalité crue
Qui nous embarque dans le moule

La trentaine, la bedaine
Les morveux, l'hypothèque
Les bonheurs et les peines
Les bons coups et les échecs

Travailler, faire d'son mieux
En arracher, s'en sortir
Et espérer être heureux
Un peu avant de mourir

Mais au bout du ch'min dis-moi c'qui va rester
De notre p'tit passage dans ce monde effréné?
Après avoir existé pour gagner du temps
On s'dira que l'on n'était finalement

... que des étoiles filantes

Si je m'arrête un instant
Pour te parler de la vie
Juste comme ça tranquillement
Pas loin du carré Saint-Louis

C'est qu'avec toi je suis bien
Et que j'ai pu'l'goût de m'en faire
Parce que tsé voir trop loin
C'pas mieux que r'garder en arrière

Malgré les vieilles amertumes
Et les amours qui passent
Les chums qu'on perd dans'brume
Et les idéaux qui se cassent

La vie s'accroche et renaît
Comme les printemps reviennent
Dans une bouffée d'air frais
Qui apaise les cœurs en peine

Ça fait que si à'soir t'as envie de rester
Avec moi, la nuit est douce on peut marcher
Et même si on sait ben que tout dure rien qu'un temps
J'aimerais ça que tu sois pour un moment...

... mon étoile filante

Mais au bout du ch'min dis-moi c'qui va rester...
Mais au bout du ch'min dis-moi c'qui va rester...

... que des étoiles filantes

Les étoiles filantes (Paroles : Jean-François Pauzé / Musique: Jean-François Pauzé, Marie-Annick Lépine)
tiré de l'album du groupe Les Cowboys Fringants *La Grand-Messe*.

LES COWBOYS FRINGANTS
LES ÉTOILES FILANTES
par VALÉRIE DUPRAS

CES HIVERS ENNEIGÉS À CONSTRUIRE DES IGLOOS
ET RENTRER LES PIEDS G'LÉS JUSTE À TEMPS POUR PASSE-PARTOUT
MAIS AU BOUT DU CHEMIN DIS-MOI CE QUI VA RESTER DE LA PETITE ÉCOLE ET D'LA COUR DE RÉCRÉ? QUAND LES AVIONS EN PAPIER NE PARTENT PLUS AU VENT
ON SE DIT QUE LE BON TEMPS PASSE FINALEMENT, COMME UNE ÉTOILE FILANTE

SI JE M'ARRÊTE UN INSTANT
POUR TE PARLER DE LA VIE
JE CONSTATE QUE BIEN SOUVENT
ON CHOISIT PAS MAIS ON SUBIT
PARCE QUE TSÉ VOIR TROP LOIN,
C'PAS MIEUX QUE REGARDER EN ARRIÈRE
RODIER
OBJETS ET TROUVAILLES
1970 - 1990
LES BONHEURS, LES PEINES,
LES BONS COUPS ET LES ÉCHECS
JEAN COUTU
PHARMACIE

MALGRÉ LES VIEILLES AMERTUMES
ET LES AMOURS QUI PASSENT
ON
OFF
TRAVAILLER,
FAIRE DE SON MIEUX,
EN ARRACHER, S'EN SORTIR
ET ESPÉRER ÊTRE HEUREUX
UN PEU AVANT DE MOURIR

MÊME SI ON SAIT BIEN
QUE TOUT NE DURE RIEN QU'UN TEMPS

LA VIE S'ACCROCHE ET RENAÎT COMME LES PRINTEMPS REVIENNENT

MAIS AU BOUT DU CHEMIN
DIS-MOI CE QUI VA RESTER...
... QUE DES ÉTOILES FILANTES

LOCO LOCASS **M'accrocher ?**

Ces derniers temps ma vie s'est dégradée en tons de gris
Monochromie
Monotonie
Mélancolie
Beaucoup de nuit, beaucoup d'ennui
Je sens que je fléchis et je réfléchis
Quatorze étés, déjà jetés : qu'aurais-je été ?
Une bougie soufflée trop tôt comme mon ami mort en moto
Une statistique pathétique dans une chronique nécrologique
Un Québécois de plus en moins
Ça ferait-tu de quoi à quelqu'un ?

Je sais pas ce qui se passe,
mais c'est pas rien qu'une mauvaise passe
J'aimerais disparaître, fuitt...
Comme dans un tour de passe-passe
En attendant, j'veux bien paraître dans la parade de l'apparat
Mascara, mascarade
Pour mes parents, mes camarades
Même si chus maussade
J'ai rénové ma façade
La clôture métallique est un sourire orthodontique
Dans les murs, les fissures ont été colmatées
Les volets sont repeints
La toiture est refaite : l'imposture est parfaite
À l'intérieur, tout est décrépit
La charpente est pourrie
Les tapis sont finis pis la tapisserie est moisie
Les lambris sont recouverts de vert-de-gris
Les amis je vous le dis tout ça c'est bon pour l'incendie

Avancer c'est vain quand y'a pas d'horizon
À mes pieds y'a un ravin pis j'en vois même pas le fond
Si je lève mes deux mains, je bute sur un plafond
À quoi bon un lendemain si c'est pour creuser plus profond ?

En attendant mon heure,
Je tue les heures devant mon ordinateur
Dire que ma mère pense que c'est pour mes travaux scolaires
Pauvre maman ! Si t'étais au courant,
Tu déboulerais dans cave en courant
Parce qu'en ce moment, chus sur un site de nœuds coulants
Si je me souviens comme y faut,
dans le garage y'a tout ce qu'il faut
Escabeau, corde à canot et un anneau assez haut
Hisse et ho ! Hisse et ho !
Et si jamais je m'accrochais, ce serait à la vie ou à un crochet ?

Je viens de terminer le bouquin d'un certain Hubert Aquin
C'est pas du Harlequin, il prévoit la fin des miens
Est-ce que son destin sera le mien ? C'est pas certain
J'ai peut-être pas la rage de vivre mais j'ai pas le courage de mourir
Fatigué, indécis, c'est mon récit ces temps-ci
J'ai réussi mon entrée mais j'veux pas rater ma sortie

Avancer c'est vain quand y'a pas d'horizon
À mes pieds y'a un ravin pis j'en vois même pas le fond
Si je lève mes deux mains, je bute sur un plafond
À quoi bon un lendemain si c'est pour creuser plus profond ?

M'accrocher ? (Paroles : Biz/Musique : Chafiik) tiré de la bande originale du film *Tout est parfait* du groupe Loco Locass.

LOCO LOCASS
M'ACCROCHER?
par VINCENT GIARD

CES DERNIERS TEMPS
MA VIE S'EST DÉGRADÉE
EN TONS DE GRIS
MONOCHROMIE
MONOTONIE
MÉLANCOLIE
BEAUCOUP DE NUIT
Recherche
Accueil
Profil
Fil de nouvelles
Les plus récentes
Je sens que je fléchis...
Et je réfléchis...
il y a 8 minutes · Commenter
Aller à la page : 1, 2, 3, 4,
Message
Sujet: M'accrocher - Loco Locass
Sam 1 Mar - 17:23
Quatorze étés déjà jetés
qu'aurais-je été
une bougie soufflée
trop tôt comme mon ami
mort en moto
Une statistique
pathétique dans une
chronique nécrologique
Un Québécois de + en -
Ça ferait-tu de
quoi à quelqu'un?
Dernière édition par G-Hard le Dim 2 Mar - 3:53, édité 2 fois
Sujet: Re: M'accrocher - Loco Locass
Sam 1 Mar - 17:30
JE SAIS PAS
CE QUI SE PASSE
MAIS C'EST PAS
RIEN QU'UNE
MAUVAISE PASSE

J'aimerais disparaître (pfffuit)
Comme dans un tour de passe-passe / En attendant, je veux bien paraître / Dans la parade de l'apparat / Mascara, mascarade / Pour mes parents, mes camarades / Même si chus maussade / J'ai rénové ma façade / La clôture métallique est un sourire orthodontique
0 COMMENTAIRE
Dans les murs les fissures ont été colmatées, les volets sont repeints, la toiture est refaite, l'imposture est parfaite. À l'intérieur tout est décrépit: la charpente est pourrie, les tapis sont finis pis la tapisserie est moisie, les lambris sont recouverts de vert-de-gris. Les amis, j'vous dis, tout ça c'est bon pour l'incendie.
Langue : Français
Genre : Rap
Année : 2008
Souhaitez-vous ajouter:
Texte :
[REFRAIN]
AVANCER C'EST VAIN
QUAND Y'A PAS D'HORIZON
À MES PIEDS Y'A UN RAVIN
PIS J'EN VOIS MÊME PAS L'FOND
SI JE LÈVE LES DEUX MAINS
JE BUTE SUR UN PLAFOND
À QUOI BON UN LENDEMAIN
SI C'EST POUR CREUSER PLUS PROFOND?
[BIS]
Signaler
Envoyer
Erreurs, Omission ou contenu illégal.
[BIS]
Goglo
en attendant mon heure
je tue les heures
devant mon ordinateur
dire que ma mère
pense que c'est pour mes travaux scolaires
Pauvre maman
Si t'étais au courant
tu déboulerais dans la cave en courant
Recherche
J'ai de la chance
Parce qu'en ce moment
je suis sur un site de noeuds coulants
Si j'me souviens comme il faut,
dans l'garage y'a tout c'qu'il faut...
www.unnoeuddenous.org/.../noeud-740.html
Escabeau - 15 juin 2010
Corde à canot - 10 oct. 2008
Et un anneau assez haut - 3 juin 2008
Autres résultats sur unnoeuddenous.org »
Hisse et ho!
Hisse et ho!, hisse et ho! . ...
www.....html - En cache - Pages similaires
Hisse et ho!
Hisse et ho! hisse et ho! . ...
www.noeuds.qc.ca/.../fct-coulant.html - En cache

ET SI JAMAIS JE M'ACCROCHAIS, ÇA SERAIT À LA VIE OU À UN CROCHET ?
EMO
JE VIENS DE TERMINER LE BOUQUIN D'UN CERTAIN HUBERT AQUIN
C'EST PAS DU HARLEQUIN
IL PRÉVOIT LA FIN DES MIENS,
EST-CE QUE SON DESTIN SERA LE MIEN?
c'est pas certain.
GRANGOUSIER
J'AI PEUT-ÊTRE PAS LA RAGE DE VIVRE MAIS J'AI PAS LE COURAGE DE MOURIR
FATIGUÉ, INDÉCIS, C'EST MON RÉCIT CES TEMPS-CI
PERDU
[BIS]
Joindre un fichier Insérer : Invitation Réponses stand
« Texte seul
J'ai réussi mon entrée mais je veux pas rater ma sortie.
Envoyer Enregistrer Supprimer Brouillon enregist
3 minutes)
BON UN LENDE
SI C'EST POUR L
PLUS PROFOND?!
GRANGOUSIER

UNERAIRE
VINCENT GIRARD

MALAJUBE **La monogamie**

Tu bourgeonnes dans ma tête
Et tu t'enfonces dans mon cerveau
Tu fais ressortir la bête
Et je sais que tu aimes les animaux

Encore une fois j'en ai trop dit j'ai perdu ta confiance
On sera ensemble dans une autre vie car tu me sembles heureuse
Et puis de toute façon j'ai déjà perdu ma chérie
Oh ! non, au nom de la monogamie

Encore liés par la fibre, c'est du ciment sournois
J'avoue que j'en ai déjà vu d'autres que toi
Affaiblis par la fièvre, c'est chacun chez soi
Avoue que tu en vois d'autres que moi

Ma tête en tempête, ta tête en tempête
Pour la vie pour la nuit

Encore liés par la fibre, c'est du ciment sournois
J'avoue que j'en ai déjà vu d'autres que toi
Affaiblis par la fièvre, c'est chacun chez soi
Avoue que tu en vois d'autres que moi

J'entre par la fenêtre, sors par la fenêtre

Pour la vie pour la nuit
Et si seulement tu m'avais dit
Tout simplement j'aurais dit oui oh ! oui

T'es tellement belle quand tu souris
Que j'en perds ma conscience

Je t'aime mais je l'aime elle aussi

Mais tu me sembles heureuse
Et puis de toute façon j'ai déjà perdu ma chérie
Oh ! non, au nom de la monogamie – haha !

Quand tu rugis tu rougis, la bouche pleine de confettis
Et tu danses, danses, danses toute la nuit
On chante sans souci que la vie est belle sans jalousie
Et on danse, danse, danse toute la nuit

Tu bourgeonnes dans ma tête
Et tu t'enfonces dans mon cerveau
Tu fais ressortir la bête
Et je sais que tu aimes les animaux

Encore une fois j'en ai trop dit
J'ai perdu ta confiance
On sera ensemble dans une autre vie
Car tu me sembles heureuse

Et puis de toute façon
J'ai déjà perdu ma chérie
Oh! non, au nom
De la monogamie

Encore liés par la fibre
C'est du ciment sournois
J'avoue que j'en ai déjà vu d'autres que toi
Affaiblis par la fièvre
C'est chacun chez soi
Avoue que tu en vois d'autres que moi

Ma tête en tempête,
Ta tête en tempête
Pour la vie, pour la nuit

Encore liés par la fibre
C'est du ciment sournois
J'avoue que j'en ai déjà vu d'autres que toi
Affaiblis par la fièvre
C'est chacun chez soi
Avoue que tu en vois d'autres que moi

J'entre par la fenêtre,
sors par la fenêtre
Pour la vie, pour la nuit

Et si seulement tu m'avais dit
Tout simplement j'aurais dit oui
Oh! oui

T'es tellement belle quand tu souris
Que j'en perds ma conscience
Je t'aime mais je l'aime aussi
Mais tu me sembles heureuse

Et puis de toute façon
J'ai déjà perdu ma chérie
Oh! non, au nom
De la monogamie

Encore liés par la fibre
C'est du ciment sournois
J'avoue que j'en ai déjà vu d'autres que toi
Affaiblis par la fièvre
C'est chacun chez soi
Avoue que tu en vois d'autres que moi

Ma tête en tempête,
Ta tête en tempête
Pour la vie, pour la nuit

Encore liés par la fibre
C'est du ciment sournois
J'avoue que j'en ai déjà vu d'autres que toi
Affaiblis par la fièvre
C'est chacun chez soi
Avoue que tu en vois d'autres que moi

J'entre par la fenêtre,
Sors par la fenêtre
Pour la vie, pour la nuit

Et si seulement tu m'avais dit
Tout simplement j'aurais dit oui
Oh ! oui

Quand tu rugis, tu rougis
La bouche pleine de confettis
Et tu danses, danses, danses, toute la nuit
Et je chante sans soucis
Que la vie est belle sans jalousie
Et tu danses, danses, danses, toute la nuit

MARA TREMBLAY **Tu m'intimides**

Ma tête est sur le bord d'un canyon
Et translucide, j'ai la poitrine au combat
Mon sang se vide
Laissant l'équilibre au bord du précipice
Et l'appétit qui retient plus sa folie

Dans une autre vie
On était forcément épris, mon amour
C'est quand même ici qu'on déjoue la folie

Pour tout te dire
J'ai les allumages qui étincellent
Dans la mire d'un cupidon qui se fout des lois
Il vise et tire
Le feu dans les reins et le cœur aux abois
Cette impossible voix qui me demande de sauter
Et toi…

Dans une autre vie
On était forcément épris, mon amour
C'est quand même ici qu'on déjoue la folie

Et cette pluie qui fixe le temps dans les souvenirs
Et cette vie si bonne avec moi quand je sais la lire
Je pense à lui, si beau et si grand, touchant le firmament
Et je me délivre de ces insupportables tourments

Dans une autre vie
On était forcément épris, mon amour
C'est quand même ici qu'on touche à l'infini

MARA TREMBLAY TU M'INTIMIDES
par CATHERINE LEPAGE

DANS UNE AUTRE VIE,
ON ÉTAIT FORCÉMENT ÉPRIS
mon amour
C'EST QUAND MÊME
ICI
QU'ON DÉJOUE LA FOLIE
DANS LA MIRE D'UN CUPIDON QUI SE FOUT DES LOIS.
POUR TOUT TE DIRE, J'AI LES ALLUMAGES QUI ÉTINCELLENT
IL VISE ET TIRE
LE FEU DANS LES REINS ET
LE COEUR AUX ABOIS.

CETTE IMPOSSIBLE VOIX
QUI ME DEMANDE DE
SAUTER
ET
TOI...

DANS UNE AUTRE VIE,
ON ÉTAIT FORCÉMENT
ÉPRIS MON AMOUR
C'EST QUAND MÊME
ICI QU'ON TOUCHE
À L'INFINI
ET CETTE PLUIE
QUI FIXE LE TEMPS
DANS LES SOUVENIRS
ET CETTE VIE
SI BONNE AVEC MOI
QUAND JE SAIS
LA LIRE

JE PENSE À
LUI
SI BEAU ET
SI GRAND
DANS LE
FIRMAMENT
ET JE ME
DÉLIVRE
DE CES
INSUP-
PORTABLES
TOUR-
MENTS.

MES AÏEUX **Antonio**

Sous terre, sur la ligne orange
Y'a un géant qui dérange
Qui dérange
C'est un pachyderme étrange
Quand il se lève, la terre tremble
Il porte sur son dos le poids de sa légende
De sa légende

Sous la terre, station Beaubien
Les gens font semblant de rien
Semblant de rien
Font comme s'ils ne voyaient pas
Qu'une épave s'est échouée là
Amarrée au passé par ses lourdes tresses
Ah, quelle tristesse !

Le Grand Antonio
Antonio Barichievich
Barichievich
Fortissimo comme dix chevaux
Star de Tokyo à Gatineau
Want my photo ?
Give me some dough
Not

Sur la Terre, v'là des années
On l'a vu à la télé
À la télé
En des jours bien plus heureux
Il excitait les curieux
En tirant des autobus avec ses cheveux
Avec ses cheveux

Mais l'homme le plus fort sur Terre
A sombré dans la misère
Dans la misère
Le jour où sa petite fleur
A brisé son trop grand cœur
En lui disant «je te laisse», oh, quelle douleur !
Pour un lutteur

Le Grand Antonio…

Une peine d'amour plus lourde encore
Que la somme de tous ses records
C'est beaucoup trop d'efforts
Beaucoup trop d'efforts
Antonio a eu si mal
Que sa force monumentale
N'est devenue au final qu'un souvenir de carte postale
Triste finale, triste finale

À la sortie d'une épicerie
C'est là qu'il a fini sa vie
À l'écart, sur un petit banc
Pour pas déranger les clients
Personne pour se rendre compte
Qu'il était mort depuis longtemps
Pauvre petit géant

Parti pour le grand voyage
Sans honneurs et sans bagages
Beau dommage !
Mais au salon, malgré la mort
Il souleva la foule encore
Trois mille personnes à bout de bras une dernière fois
Ah, quel exploit !

Pour atteindre la célébrité
Trop souvent seul et méprisé
Ce fut cher payer
Salut à toi, Antonio
Moitié clochard, moitié héros
À jamais plus grand que nature (c'est sûr !)
Les légendes ont la vie dure
Do videnja !

Le Grand Antonio…

Antonio (Paroles : Stéphane Archambault, Sylvain Laquerre/Musique : Marc-André Paquet) tiré de l'album de Mes Aïeux *La ligne orange*.

MES AÏEUX
ANTONIO
par DANIEL SHELTON

Sous terre, sur la ligne orange
Y'a un géant qui dérange
Qui dérange

C'est un pachyderme étrange

Quand il se lève, la terre tremble. Il porte sur son dos le poids de sa légende.
De sa légende

Sous la terre, station
Beaubien
Les gens font semblant
de rien, Semblant de rien.
Font comme s'ils ne
voyaient pas
Qu'une épave s'est
échouée là
Amarrée au passé
par ses lourdes tresses
Ah, quelle tristesse!
Le Grand Antonio
Antonio Barichievich
Barichievich
Fortissimo comme dix chevaux
Star de Tokyo à Gatineau
Want my photo?
Give me some dough
not
Voyageur
Sur la Terre,
V'là des années
On l'a vu à la télé
À la télé
En des jours bien
plus heureux
Il excitait les curieux
En tirant des autobus
avec ses cheveux
Avec ses cheveux

C'est beaucoup trop
d'efforts
Beaucoup trop
d'efforts
Antonio a eu si mal
Que sa force
monumentale

À la sortie d'une épicerie

C'est là qu'il a fini sa vie

À l'écart, sur un petit banc
Pour ne pas déranger les clients

Personne pour se rendre compte
qu'il était mort depuis longtemps
Pauvre petit géant

Parti pour le grand voyage
Sans honneurs, sans bagages
Beau dommage!
100$

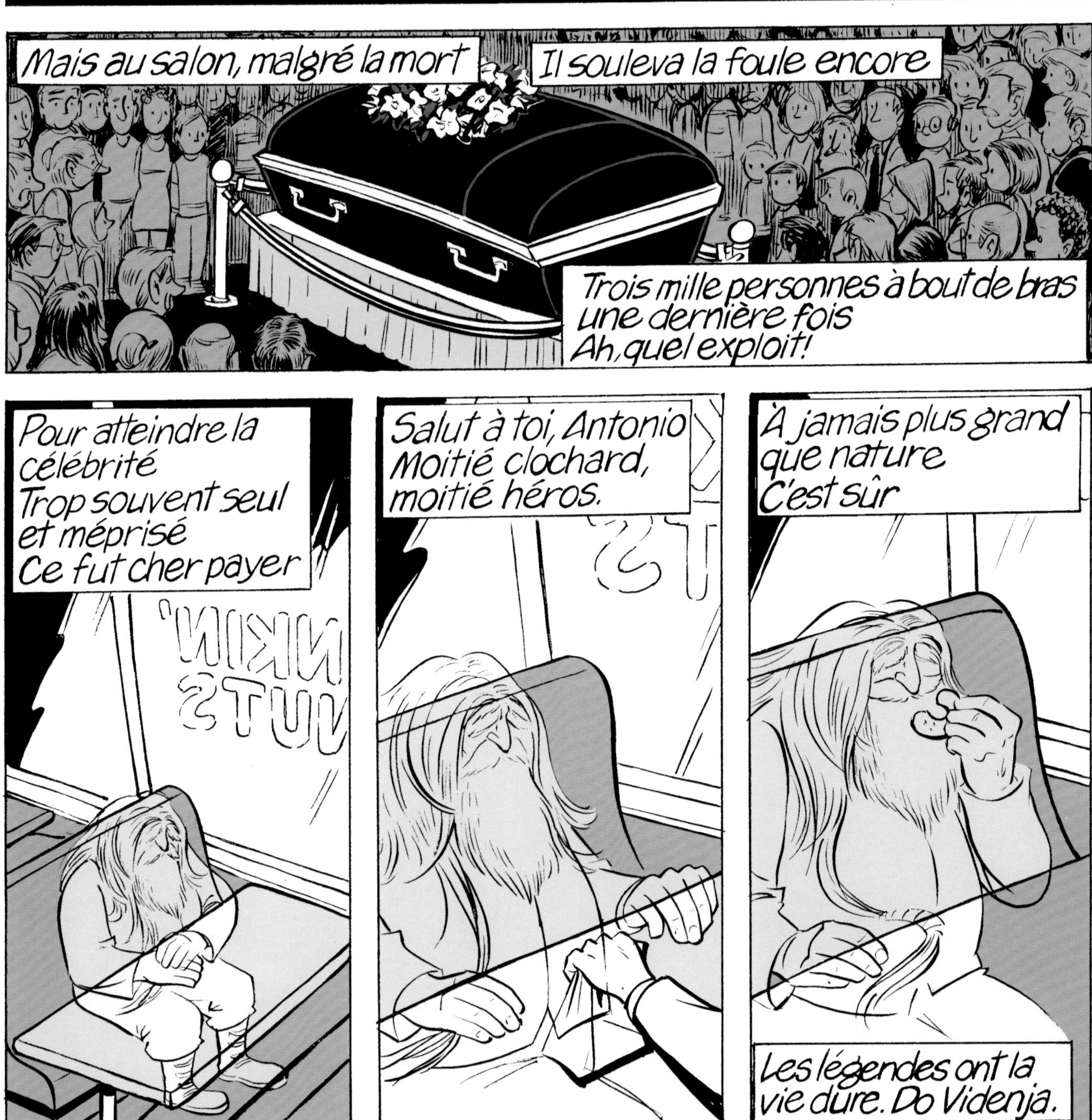
Mais au salon, malgré la mort
Il souleva la foule encore
Trois mille personnes à bout de bras
une dernière fois
Ah, quel exploit!
Pour atteindre la
célébrité
Trop souvent seul
et méprisé
Ce fut cher payer
Salut à toi, Antonio
Moitié clochard,
moitié héros.
À jamais plus grand
que nature
C'est sûr
Les légendes ont la
vie dure. Do Videnja.

PIERRE LAPOINTE **Deux par deux rassemblés**

Celui qui était fort hier
Ne sera que poussière demain
Malgré la grandeur des refrains
Et malgré l'arme qu'il a à la main

Tout ce qui monte redescend
Celui qui tombe se relèvera
Si aujourd'hui je pleure dans tes bras
Demain je repartirai au combat

Non, ce n'est sûrement pas de briller
Qui nous empêchera de tomber
Non, ce n'est sûrement pas de tomber
Qui nous empêchera de rêver

Ce qui reste à jamais gravé
Dans tous les cœurs disloqués
N'est pas objet qui ne pense qu'à briller
Mais plutôt tout geste de vérité

Demain nous donnerons nos armes
En offrande à Notre-Dame
Pour ces quelques pécheurs sans âme
En échange des ornements de nos larmes

Non, ce n'est sûrement pas de briller
Qui nous empêchera de tomber
Non, ce n'est sûrement pas de tomber
Qui nous empêchera de rêver

Même les yeux, le cœur aveuglés
Par l'alcool de sang troublé
Par le frère de l'huître scellée
Bien droit, nous continuerons à marcher

Une fois deux par deux rassemblés
Nous partirons le poing levé
Jamais la peur d'être blessés
N'empêchera nos cœurs de crier

Non, ce n'est sûrement pas de briller
Qui nous empêchera de tomber
Non, ce n'est sûrement pas de tomber
Qui nous empêchera de rêver

CÔTE-VERTU

CELUI QUI ÉTAIT FORT HIER
NE SERA QUE POUSSIÈRE DEMAIN

MALGRÉ LA GRANDEUR DES REFRAINS
ET MALGRÉ L'ARME QU'IL A À LA MAIN

TOUT CE QUI MONTE REDESCEND
CELUI QUI TOMBE SE RELÈVERA
SI AUJOURD'HUI JE PLEURE DANS TES BRAS
DEMAIN JE REPARTIRAI AU COMBAT

NON, CE N'EST SÛREMENT PAS DE BRILLER
QUI NOUS EMPÊCHERA DE TOMBER
NON, CE N'EST SÛREMENT PAS DE TOMBER
QUI NOUS EMPÊCHERA DE RÊVER

SORTIE
SORTIE
CE QUI RESTE À JAMAIS GRAVÉ
DANS TOUS LES CŒURS DISLOQUÉS
N'EST PAS OBJET QUI NE PENSE QU'À BRILLER
MAIS PLUTÔT TOUT GESTE DE VÉRITÉ
DEMAIN NOUS DONNERONS NOS ARMES
EN OFFRANDE À NOTRE-DAME

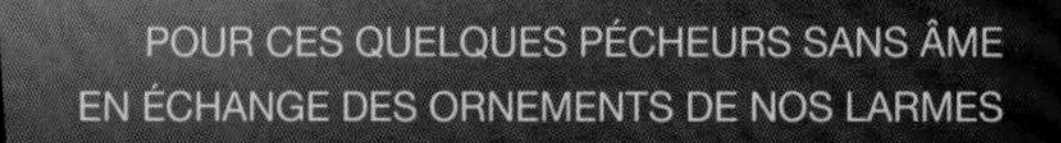
POUR CES QUELQUES PÊCHEURS SANS ÂME
EN ÉCHANGE DES ORNEMENTS DE NOS LARMES

MÊME LES YEUX, LE CŒUR AVEUGLÉS
PAR L'ALCOOL DE SANG TROUBLÉ
PAR LE FRÈRE DE L'HUÎTRE SCELLÉE
BIEN DROIT, NOUS CONTINUERONS À MARCHER

UNE FOIS DEUX PAR DEUX RASSEMBLÉS
NOUS PARTIRONS LE POING LEVÉ
JAMAIS LA PEUR D'ÊTRE BLESSÉS
N'EMPÊCHERA NOS CŒURS DE CRIER

NON, CE N'EST SÛREMENT PAS DE BRILLER
QUI NOUS EMPÊCHERA DE TOMBER
NON, CE N'EST SÛREMENT PAS DE TOMBER
QUI NOUS EMPÊCHERA DE RÊVER

TRICOT MACHINE **Radar**

Je pars l'esprit mobile
Sans tambour ni trompette
J'emporte l'inutile
Et quelques allumettes

Je pars sur un coup de chance
Je parie sur le bleu
Quand tout le monde s'en balance
Je fais ni une ni deux

Je pars sans faire exprès
Comme le feu aux récoltes
La foudre fait le guet
Et j'attends la révolte

Et si jamais on me cherche
Regardez sur le radar
Je suis juste un peu à gauche
En plein milieu de nulle part

J'avance sans crier gare
Juste à côté de la track
Je fais confiance au hasard
Jamais le train ne me frappe

J'avance le cœur au ventre
Prête pour la bataille
Devant rien je ne tremble
Je suis toujours de taille

J'avance sans laisser de traces
À l'envers du bon sens
Jamais à la bonne place
Toujours au bon moment

Et si jamais on me cherche
Regardez sur le radar
Je suis juste un peu à gauche
En plein milieu de nulle part

J'arrive entre deux eaux
Sous les sables mouvants
Programmée par défaut
À contre-courant

J'arrive à la sauvette
Et les mains dans les poches
Tout va tellement plus drette
Quand c'est un peu tout croche

J'arrive la tête en gigue
Et les pieds dans les plats
Mais de fil en intrigue
Je me suis rendue à toi

Et si jamais on me cherche
Regardez sur le radar
Je suis juste un peu à gauche
En plein milieu de nulle part

Radar (Paroles : Daniel Beaumont/Musique : Matthieu Beaumont) tiré de l'album du groupe Tricot Machine *La prochaine étape*.

TRICOT MACHINE
RADAR
par PIERRE BOUCHARD

Je pars l'esprit mobile sans tambour ni trompette
J'emporte l'inutile et quelques allumettes
Je pars sur un coup de chance, je parie sur le bleu
Quand tout l'monde s'en balance, je fais ni une ni deux.

Je pars sans faire exprès comme le feu aux récoltes. La foudre fait le guet et j'attends la révolte.
et hop!
Et si jamais on m'cherche, regardez su'l'radar j'suis juste un peu à gauche en plein milieu d'nulle part.
J'avance sans crier gare, juste à côté d'la track. J'fais confiance au hasard, jamais le train ne m'frappe, j'avance le coeur au ventre, prête pour la bataille. Devant rien je ne tremble, je suis toujours de taille.

tchouktchouk
tchoutchouk
tchou
ZZZZ
J'avance sans laisser de traces, à l'envers du bon sens.
Jamais à la bonne place, toujours au bon moment
Et si jamais on m'cherche, regardez su'l'radar
J'suis juste un peu à gauche en plein milieu d'nulle part.
HOBO
tchikitchikitchiktchi

Cui
Cui
Cui
tchiktchoutchou
J'arrive entre deux eaux, sous les sables mouvants. Programmée par défaut à contre-courant. J'arrive à la sauvette et les mains dans les poches. Tout va tellement plus drette quand c'est un peu tout croche.

J'arrive la tête en gigue et les pieds dans les plats.
Mais de fil en intrigue, j'me suis rendue à toi.
tchiktchiktchiktchiktchiktchiktchiktchiktchi
BOUM
Et si jamais on m'cherche, regardez su'l'radar. J'suis juste un peu à gauche en plein milieu d'nulle part...
fin

LES TROIS ACCORDS **Dans mon corps**

Je me suis rasé les aisselles en pensant à toi
J'étais fatiguée d'être celle que tu ne voyais pas
Que tu ne voyais pas…

J'ai porté de la dentelle sous ma veste à pois
Si tu avais vu laquelle tu comprendrais pourquoi
Tu comprendrais pourquoi…

Dans mon corps. Dans mon corps de jeune fille
Il y a des changements
Dans mon corps. Dans mon corps de jeune fille

J'ai rangé tout le bordel, me préparant au cas
Où tu partirais d'avec elle pour venir avec moi
Pour venir avec moi…

Je me suis mise toute belle et j'ai souhaité tout bas
Qu'à la porte l'on m'appelle et que tu sois sur le pas
Que tu sois sur le pas…

Et qu'à genoux les mains pleines d'un bouquet de lilas
Tu me dises que tu m'aimes ou quelque chose comme ça
Quelque chose comme ça…

Dans mon corps. Dans mon corps de jeune fille
Il y a des changements
Dans mon corps. Dans mon corps de jeune fille

LES TROIS ACCORDS
DANS MON CORPS
par ZVIANE

Je me suis rasé les aisselles en pensant à toi

J'étais fatiguée d'être celle que tu ne voyais pas

que tu ne voyais pas
BELLE PEAU

J'ai porté de la dentelle sous ma veste à pois

Si tu avais vu laquelle, tu comprendrais pourquoi

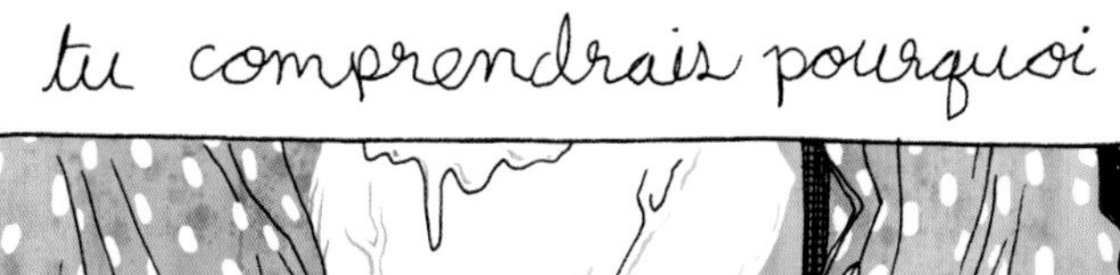
tu comprendrais pourquoi

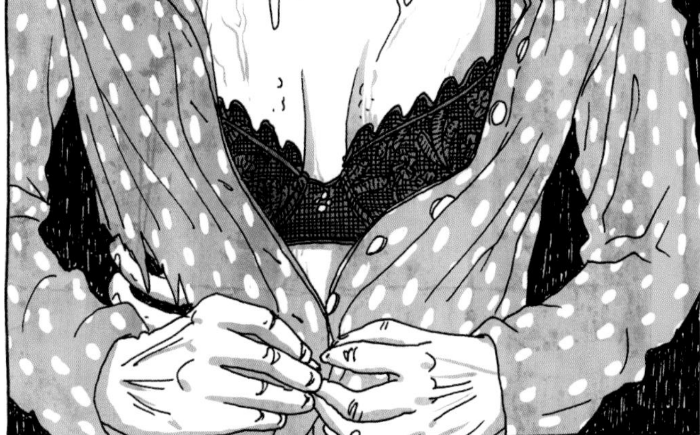

DANS MON CORPS
DANS MON CORPS DE JEUNE FILLE
dans mon corps de jeune fille...
... il y a des
CHANGEMENTS
DANS MON CORPS
DANS MON CORPS DE JEUNE FILLE
dans mon corps de jeune fille...
... il y a des
CHANGEMENTS

SOLO
J'ai rangé tout le bordel me préparant au cas
où tu partirais d'avec elle pour venir avec moi
pour venir avec moi

Je me suis mise toute belle et j'ai souhaité tout bas
qu'à la porte l'on m'appelle et que tu sois sur le pas
toc toc
que tu sois sur le pas
et qu'à genoux les mains pleines d'un bouquet de lilas
tu me dises que tu m'aimes ou quelque chose comme ça
quelque chose comme ça

DANS MON CORPS
DANS MON CORPS DE JEUNE FILLE
dans mon corps de jeune fille...
...il y a des
CHAN GEM ENTS
DANS MON CORPS
DANS MON CORPS DE JEUNE FILLE
dans mon corps de jeune fille...
... il y a des
CHANGEMENTS
ZVIANE

BIOGRAPHIES

ARIANE MOFFATT

Ariane Moffatt débute son parcours musical par le piano, puis, très jeune, elle s'intéresse au chant jazz et aux *songwriters,* chez qui écriture, composition et arrangements sont indissociables. Naîtront de ce jeune talent trois albums en l'espace de cinq ans…

En juin 2002, son premier album *Aquanaute,* au confluent de l'électro-folk, du jazz et de la pop, paraît. Écoulé à plus de 125 000 exemplaires, *Aquanaute* récoltera trois Félix au Gala de l'ADISQ 2003 : révélation de l'année, album pop-rock de l'année et réalisation musicale de l'année.

Le cœur dans la tête paraît en novembre 2005, révélant une artiste décidément audacieuse sur le plan musical et très proche de l'autobiographie sur le plan des textes.

En février 2006, Ariane Moffatt se produit en première partie d'Alain Souchon à l'Olympia de Paris, prestation très remarquée qui précède de peu la sortie française du *Cœur dans la tête,* en mai. Elle a alors l'immense privilège d'être épaulée en France par Mathieu Chédid, dit « M », artiste à qui elle voue une grande admiration.

En avril 2008, tous les yeux, toutes les oreilles se tournent vers Ariane à l'occasion de la parution de *Tous les sens,* un disque lumineux et *groovy,* entre la techno et la musique *roots*. L'album est une fois de plus grandement récompensé au Québec et remporte le Juno du meilleur album francophone canadien de 2009. *Tous les sens* est également sorti en Europe et y reçoit le prestigieux prix de l'Académie Charles Cros. Ariane est aussi mise en nomination aux Victoires de la Musique dans la catégorie révélation scène.

PAUL LABERGE

Paul Laberge a une formation en cinéma d'animation. Il a notamment signé les animations pour la séquence de Belzébuth dans le film *Dédé à travers les brumes*. Paul a aussi fait les animations de plusieurs vidéoclips, dont ceux de Malajube (*Pâte Filo, Montréal -40 °C*), Numéro # (*Chewing gum fraise*) et Omnikrom (*Été Hit*).

Il a réalisé de nombreux vidéoclips pour des groupes québécois comme Kodiak et SUBB. Il réalise divers projets à l'intérieur de sa boîte de production Bonzai Animation, fondée en 2007.

Il est autodidacte dans bien d'autres sphères de l'art visuel. Le *street art,* le graphisme, le design, l'illustration, la bande dessinée et l'animation sont autant de domaines qu'il se plaît à explorer et autour desquels évolue sa réflexion esthétique.

Dans ses réalisations, il privilégie une approche multidisciplinaire où ses médiums de prédilection se confondent. On peut voir l'étendue de ses talents dans la publicité qu'il a créée pour le Larousse 2010.

CŒUR DE PIRATE

Cœur de pirate, c'est le projet de Béatrice Martin, pianiste dans l'âme au talent incontestable. Au printemps 2008, elle cède à la pression de ses proches et met en ligne ses compositions à travers lesquelles elle exprime son trop-plein d'émotions, ses expériences, son vécu. Vite repérée par l'étiquette Grosse Boîte (Dare To Care Records), avec laquelle elle décide de s'associer, Cœur de pirate passe l'été 2008 à préparer un album avec David Brunet pour enregistrer un premier opus aux textes sincères et aux douces mélodies. C'est le 16 septembre 2008 que sort son album éponyme, salué par la critique et le public. L'album se hisse et se maintient en tête des palmarès de vente et est certifié or au Canada. Elle multiplie aussi les spectacles, dont des participations remarquées aux FrancoFolies de Montréal, au festival Osheaga, ainsi qu'à M pour Montréal.

L'aventure continue outre-mer ; à peine six mois après sa sortie au Québec, Cœur de pirate signe avec Barclay, avec qui elle sort son album en mai 2009, qui sera certifié or dès l'été 2009. Pour son premier concert en France, Cœur de pirate aura l'honneur de faire la première partie d'Arthur H à l'Olympia. Elle chantera aussi avec Indochine aux FrancoFolies de Montréal. En 2009, elle est nominée aux Juno Awards, aux GAMIQ à quatre reprises, en plus d'être en lice pour le prix Polaris.

DENIS RODIER

En 1986, Denis Rodier commence une carrière en illustration qui le transforme, à peine trois ans plus tard, en dessinateur de bandes dessinées, ce qui lui permet de collaborer aux séries américaines les plus populaires comme *Batman, Captain America* et *Wonder Woman,* pour n'en nommer que quelques-unes. Mais c'est son travail sur les séries *Superman in Action Comics* et *Adventures of Superman* qui lui apporte les plus grands éloges, tout particulièrement l'histoire *Death of Superman,* lauréate de plusieurs prix.

Denis publie un triplé d'albums en 2008 et un autre en 2009. Le premier opus de la série *L'ordre des dragons,* scénarisé par Jean-Luc Istin, paraît chez Soleil, avec en rafale deux tomes de la série *Égide,* avec Fred Weytens, chez Delcourt. L'année 2009 voit la conclusion du premier cycle de *L'ordre des dragons* avec la publication des tomes II et III, ainsi que la publication de sa série humoristique créée en album en collaboration avec Rose Beef, *L'encyclopédie Dekessé,* aux éditions Les 400 coups.

Ses œuvres sont publiées dans le monde entier dans le milieu de l'édition (*Shoes for Amélie,* gagnante de plusieurs prix d'excellence), de la musique – pour des artistes tels que Tony Levin (musicien ayant travaillé entre autres avec Peter Gabriel et John Lennon), Pat Mastelotto (qui a travaillé avec King Crimson), Anton Fig (qui a travaillé avec le David Letterman Band) et Suzanne Vega – et celui de la presse *(Journal de Montréal, Safarir*). En plus de figurer dans d'innombrables collections privées, ses œuvres ont été exposées au Musée du Québec à Québec, à New York, à Rome et à Durbuy en Belgique.

LES COWBOYS FRINGANTS

Les Cowboys Fringants, un groupe au parcours exceptionnel ! À ce jour, il a vendu plus de 800 000 albums dans la francophonie… Il parcourt les routes du Québec et de l'Europe francophone en remplissant encore et toujours les salles à chacun de ses passages… Il a gagné plusieurs Félix à divers galas de l'ADISQ : groupe de l'année, spectacle de l'année, meilleur clip, chanson populaire pour *Les étoiles filantes*… Il a aussi mis sur pied la Fondation Cowboys Fringants qui se concentre sur des projets de conservation de la nature et de sauvegarde des écosystèmes menacés en territoire québécois…

Les fans fidèles des débuts ont vieilli et sont, pour plusieurs, toujours au rendez-vous. Des gens de toutes générations, des jeunes enfants aux têtes grises, se sont greffés à cette mosaïque d'amateurs fringants et ne font que confirmer le côté fédérateur du groupe, ainsi que son impact sur la société québécoise. Les chansons des Cowboys Fringants ont été et sont encore le « décor » et la toile de fond de la vie de milliers de personnes. Les Cowboys Fringants célèbrent la chanson d'une manière sans pareille dans la francophonie.

VALÉRIE DUPRAS

Illustratrice et réalisatrice, Valérie Dupras a grandi en banlieue de Montréal. Née en 1980, elle a connu le fluo, les cheveux gaufrés, les Backstreet Boys, *Passe-Partout* et *Les Fraggle Rock*.

Elle a étudié le cinéma d'animation à l'Université Concordia, d'où elle a gradué en 2004. Elle a touché à diverses formes d'animation durant son baccalauréat, mais s'est spécialisée en animation 3D traditionnelle, probablement influencée par le travail de Jim Henson.

Depuis, elle a réalisé plusieurs vidéoclips d'artistes québécois, parmi lesquels *Plus rien,* des Cowboys Fringants, qui a remporté un Félix et une nomination aux Much Music Awards. Ses clips d'animation ont aussi été présentés aux Rendez-vous du cinéma québécois. Elle a également travaillé à l'ONF sur le film *Le nœud cravate* de Jean-François Lévesque (Jutra 2009 du meilleur film d'animation). Valérie collabore aussi au design des œuvres des Mosaïcultures internationales de Montréal. L'œuvre de la ville de Montréal présentée au Japon en 2009 a reçu le Grand Prix d'honneur et le Prix du public.

LOCO LOCASS

Depuis 1999, le groupe rap Loco Locass a fait paraître trois albums (*Manifestif, In Vivo* et *Amour oral*) et deux recueils de textes (*Manifestif* et *Poids plume*).

L'album *Manifestif* a tout d'abord été lancé en autoproduction et a ensuite été remastérisé par Les Disques Audiogram. L'album interactif *In Vivo* est paru en juin 2003 et a remporté deux prix au New York Interactive Festival : la médaille d'or dans la catégorie divertissement grand public et la médaille de bronze dans la catégorie meilleure conception d'interface. Quant à l'album *Amour oral,* paru en 2005, il a valu à Loco Locass un Disque d'or.

Le groupe a remporté le prix Félix-Leclerc en 2001 et a récolté quatre Félix au Gala de l'ADISQ 2005, dont celui du meilleur auteur-compositeur. En 2007, Chafiik, Biz et Batlam ont été sacrés patriotes de l'année par la Société Saint-Jean-Baptiste.

La formation a aussi collaboré à de nombreux projets avec d'autres artistes. Elle a entre autres enregistré les chansons *La Russe* avec Malajube, *La paix des braves* avec Samian et *Tout le monde est malheureux* avec Gilles Vigneault sur son album *Retrouvailles*.

VINCENT GIARD

Vincent Giard est un p'tit gars de Montréal qui dessine mieux quand il est amoureux. Une fois, *Bibi* a pigé son dessin. Depuis, il illustre son propre site Internet (www.aencre.org), où il mêle bande dessinée et trucs qui clignotent.

Vincent a publié *Aplomb, Le rêve de la catastrophe* (avec Julie Delporte) et *Les pièces détachées* (avec David Turgeon) dans la collection Colosse. Il a également publié de nombreuses histoires courtes dans *Bagarre, Trip, Meathaus, Smoke Signal, Le Bob* et le collectif *Histoires d'hiver* aux éditions Glénat Québec. Il organise les 48 heures de la Bande Dessinée de Montréal, et est aussi le cofondateur, avec Sébastien Trahan, d'une nouvelle maison d'édition, la Mauvaise tête.

MALAJUBE

Malajube a littéralement pris d'assaut la scène rock indépendante depuis la sortie de son premier opus, *Le compte complet,* en 2004, et plus encore avec son deuxième album, *Trompe-l'œil,* en 2006, une œuvre imposante qui figure parmi les albums les plus marquants de l'histoire musicale du Québec. Ce disque est paru aux États-Unis, en Europe et au Japon. Le groupe a aussi participé à des événements majeurs tels que SXSW, CMJ Music Marathon, Osheaga, les Eurokéennes et les Franco-Folies de Montréal. Malajube a convaincu les critiques de plusieurs médias d'envergure, dont le *New York Times, NME, Pitchfork, Brooklyn Vegan, Wired, Fader, Spin, Penthouse, Men's Health Journal, Vanity Fair* et bien d'autres.

Le quatuor récidiva en 2009 avec *Labyrinthes,* un troisième album ambitieux qui est décrit par plusieurs critiques comme l'un des meilleurs albums québécois.

JIMMY BEAULIEU

Jimmy Beaulieu est né à l'île d'Orléans en 1974 et vit à Montréal depuis 1998. De 1989 à 1999, il s'est bien amusé et a fait de la musique avec des machines. De 1999 à 2009, il a travaillé dans l'édition de bandes dessinées, dirigeant les collections de bandes dessinées qu'il a fondées, Mécanique générale et Strips (aux éditions Les 400 coups), en plus de Colosse, sa propre étiquette. C'est au sein de ces collections qu'il a publié ses premiers livres : *Quelques pelures, Le moral des troupes, Ma voisine en maillot,* etc. Il a aussi été libraire, critique littéraire (Radio-Canada), commissaire d'expositions, conférencier, traducteur (*Clumsy,* de Jeffrey Brown, et adaptation en joual des dialogues de *Magasin général,* de Loisel & Tripp), professeur, animateur de revue (*Formule*) et à l'occasion, mercenaire du dessin. Depuis 2009, il se consacre à sa pratique d'auteur. Ses plus récents titres sont *À la faveur de la nuit* (publié aux éditions Les Impressions Nouvelles en 2010) et *Comédie sentimentale pornographique* (publié aux éditions Delcourt en 2011).

MARA TREMBLAY

Mara Tremblay est une femme de cœur, comme ses chansons le démontrent. L'auteure-compositeure-interprète s'est d'abord fait une place dans l'univers musical québécois par ses nombreuses collaborations au sein de groupes, dont Lard Bedaine, Les Maringouins, Les Colocs, Mononc'Serge et Les Frères à Ch'val.

En 1999, elle enregistre un premier album solo, *Le chihuahua,* magnifiquement reçu par la critique. Cet album est le premier d'une série. Suivront jusqu'à ce jour *Papillons* en 2001, *Nouvelles Lunes* en 2003 et *Tu m'intimides* en 2009, d'où est extrait le texte illustré.

Son style musical navigue entre les sonorités rock de ses origines, l'émouvante fragilité de ses derniers albums, et ses inspirations country. On reconnaît Mara Tremblay à la sensibilité de sa plume, à l'émotion pure de ses mélodies, et à ses collaborateurs toujours triés sur le volet.

CATHERINE LEPAGE

Catherine Lepage a étudié le graphisme au Cégep de Sainte-Foy à Québec puis l'illustration à l'École supérieure des arts décoratifs de Strasbourg en France. Elle vit aujourd'hui à Montréal, où elle travaille comme designer graphique et illustratrice.

Elle est l'auteure de livres illustrés pour enfants et adultes. Cumulant plusieurs années d'expérience en agence de publicité, elle travaille aujourd'hui pour des clients au Canada et aux États-Unis, et ses illustrations sont publiées, entre autres, dans *L'Actualité, La Presse,* le *Globe and Mail,* le *Financial Post, Oprah Magazine* et le *Boston Globe.*

MES AÏEUX

Le groupe Mes Aïeux est né en 1996 d'une bande d'amis qui avaient une envie folle de brasser la cabane au Québec… Après l'échec référendaire de 1995, les six membres de Mes Aïeux, Stéphane Archambault, Marie-Hélène Fortin, Éric Desranleau, Frédéric Giroux, Marc-André Paquet et Benoît Archambault, ont eu le goût d'écrire des chansons en français en puisant leur inspiration au cœur même du patrimoine québécois, qu'ils revisitent dans un contexte et un son des plus contemporains.

Depuis sa création, le groupe a lancé cinq albums : *Ça parle au diable !* en 2000, *Entre les branches* en 2001, *En famille* en 2004, *Tire-toi une bûche* en 2006, et le plus récent, *La ligne orange,* en 2008. Mes Aïeux a jusqu'à maintenant vendu plus de 600 000 exemplaires de ses disques et présenté plus de 500 spectacles partout au Québec. La formation a aussi joué dans plusieurs villes du Canada ainsi qu'en Europe, où ses albums sont également disponibles.

Depuis sa création, Mes Aïeux a remporté plusieurs distinctions, dont quatre Félix au Gala de l'ADISQ 2007, incluant celui de groupe de l'année, et trois Félix au Gala de l'ADISQ 2009, dont celui décerné au groupe de l'année par vote populaire. Mes Aïeux a également reçu, en 2007, un prix Reconnaissance de l'ADISQ, afin de souligner l'immense succès de l'album *En famille,* qui s'est maintenu pendant plus de 100 semaines dans le top 30 des ventes francophones.

Avec ses textes mordants et ses chansons entraînantes aux influences musicales les plus diverses, Mes Aïeux propose un amalgame unique de joie de vivre, de dérision, de lucidité, de sensibilité et de douce folie. Sa musique et ses spectacles, toujours hauts en couleurs provoquent une véritable épidémie de plaisir !

DANIEL SHELTON

Daniel Shelton œuvre dans le domaine de la bande dessinée depuis son adolescence. Originaire de Sherbrooke, il a étudié la bande dessinée et l'illustration aux États-Unis, pour ensuite faire carrière comme illustrateur au Québec. Depuis 1996, il est l'auteur de la populaire bande dessinée quotidienne *BEN,* publiée dans des journaux à travers le Canada dans les deux langues et regroupée en cinq livres. Il habite la région de Montréal avec son épouse et ses quatre enfants.

PIERRE LAPOINTE

Pierre Lapointe est né au Lac-Saint-Jean et a grandi à Gatineau, en Outaouais. En 2003, il signe avec Audiogram, qui lui permettra de produire son premier album éponyme qui sera certifié or. En 2005, Pierre et son équipe reçoivent une récompense inattendue : 13 nominations au Gala de l'ADISQ. Il y remportera six Félix.

Le deuxième album de Pierre Lapointe, *La forêt des mal-aimés,* se vend à plus de 100 000 exemplaires. Au gala de l'ADISQ 2006, il remporte trois Félix.

En 2007, la tournée québécoise du spectacle *La forêt des mal-aimés* se termine aux FrancoFolies de Montréal sous la direction de Yannick Nézet-Séguin ; 100 000 spectateurs assistent à l'événement.

La critique accueille élogieusement le troisième album de Pierre, *Sentiments humains,* qui est certifié or quelques semaines après sa sortie. Au Gala de l'ADISQ 2009, il remporte le Félix de l'album pop-rock de l'année pour son troisième opus.

Pierre Lapointe travaille présentement à l'écriture de la musique d'un film québécois.

PASCAL BLANCHET

Pascal Blanchet, illustrateur et auteur de bandes dessinées, est né à Trois-Rivières en 1980.

Ses nombreuses parutions (*La fugue, Le rapide blanc, La Bologne*) dénotent son intérêt pour le design, l'architecture et le jazz. Ses illustrations s'inscrivent dans un style développé par les grands affichistes du début du XXe siècle. Il voue un culte à l'œuvre de Kurt Weill et est particulièrement inspiré, dans ses dessins, par la musique.

Pascal s'est mérité de nombreux prix, dont le Grand Prix Lux 2007 dans la catégorie livre/bande dessinée/roman graphique et le Grand Prix Illustration. Il a travaillé notamment pour Penguin Books et *The San Francisco Magazine*.

TRICOT MACHINE

Tricot machine voit le jour à la fin de l'année 2005, porté par les idées novatrices de Catherine Leduc et Matthieu Beaumont. En mars 2007, l'album éponyme de Tricot machine, qui voit le jour sur l'étiquette Grosse Boîte, se révèle un succès autant critique que populaire et lui vaut les Félix de la meilleure pochette et de la révélation au Gala de l'ADISQ 2007, le prix ÉCHO de la chanson de la SOCAN pour la pièce *L'ours,* le prix André-Dédé-Fortin de la SPACQ et le prix Miroir du Festival d'été de Québec.

En décembre 2008, le duo lance un album concept qui aborde Noël de façon plutôt inhabituelle en évoquant le thème du deuil.

Toujours soucieux d'innover en matière de concepts visuels, Tricot machine fait équipe avec le graphiste Atanas Mihaltchev pour réaliser la pochette de son troisième album, *La prochaine étape*. Musicalement, le groupe demeure fidèle à ses habitudes et nous sert des textes à la fois simples et évocateurs opposés à des arrangements efficaces et foisonnants. Tricot machine raconte des petites histoires issues d'un univers personnel où cohabitent des souvenirs d'enfance, la douceur de la première neige et quelques animaux de la forêt. Catherine et Matthieu sont une fois de plus entourés de leurs précieux collaborateurs, David Brunet et Daniel Beaumont. Sur scène, indociles, ils livrent avec ferveur et humilité les chansons de ce nouveau projet, accompagnés de quatre talentueux musiciens.

PIERRE BOUCHARD

Pierre Bouchard vit et travaille à Québec. Il a coédité, il y a quelques années le fanzine *Bidon,* dédié aux dessinateurs de Québec. Il s'est mérité le prix Réal-Fillion 2008 pour la meilleure première bande dessinée (*L'île-aux-ours*). À l'automne 2008, il s'envola pour la France où il fut auteur de bande dessinée en résidence, un échange culturel entre la ville de Québec (Institut canadien de Québec) et Bordeaux (Agence régionale pour l'Écrit et le Livre).

Il continue à œuvrer dans le monde artistique en peinture, où il revisite des thèmes communs comme le hockey, les oiseaux et les poissons. Il est aussi actif en tant que muraliste urbain et organisateur d'événements liés au graffiti.

LES TROIS ACCORDS

Les Trois Accords ont connu une ascension fulgurante au cours des sept dernières années avec plus de 300 000 albums vendus. En 2004, leur premier opus, *Gros Mammouth album turbo,* a conquis le cœur du public grâce aux chansons *Hawaiienne, Saskatchewan* et *Vraiment beau*. Le groupe se distingue alors par ses mélodies accrocheuses et ses textes finement absurdes. Deux ans plus tard, l'album *Grand champion international de course* s'est également hissé au sommet des palmarès avec *Tout nu sur la plage, Grand champion* et *Ton avion*. En plus d'offrir 500 spectacles au Canada et en France, la formation a produit une douzaine de vidéoclips, un DVD et deux émissions télé. À ce jour, elle est récipiendaire de quatre Félix, dont ceux de groupe de l'année au Gala de l'ADISQ 2005, et d'album rock de l'année au Gala de l'ADISQ 2007. Au premier plan de la scène pop québécoise, elle a sorti son troisième album, *Dans mon corps,* à l'automne 2009.

Les Trois Accords ont participé au Live 8 de Toronto et assuré la première partie des Rolling Stones lors de leurs concerts à Ottawa et à Moncton. Ils ont également participé au projet Make Some Noise, où ils ont été les premiers à offrir une version française d'une chanson de John Lennon.

ZVIANE

Sylvie-Anne Ménard (ou Zviane), née en 1983, fait de la bande dessinée et enseigne la musique. Sa formation multiple (piano, composition instrumentale, dessin animé) témoigne de la diversité de ses passions. Elle réalise des albums, *Le Point B, La plus jolie fin du monde, Le quart de millimètre,* collabore à divers fanzines et journaux, crée, avec sa copine Iris, son blogue de bande dessinée (*L'ostie d'chat*) – grâce auquel elle rigole toujours et a beaucoup de plaisir – et s'investit dans l'organisation d'événements autour du 9e art, comme les 24 heures de la Bande Dessinée de Montréal en 2008.

En 2009, elle gagne le premier prix du Concours de bande dessinée Hachette et la Maison des auteurs d'Angoulême, en France, l'accueille en résidence pendant six mois. Elle y perfectionne son dessin et travaille sur un titanesque projet personnel.

TABLE DES MATIÈRES